事实还是假象 FACT OR FAKE

倒数第一也能赢得比赛吗?

[英]安娜贝尔·萨弗里 著 郭澍 译

运动真相大揭秘!

CTS K 湖南科学技术出版社·长沙

图书在版编目（CIP）数据

事实还是假象. 倒数第一也能赢得比赛吗？运动真相大揭秘！/
（英）安娜贝尔·萨弗里著；郭澍译. 长沙：湖南科学技术出版社，2024. 12.
ISBN 978-7-5710-3110-7

Ⅰ. Z228.2

中国国家版本馆 CIP 数据核字第 2024P4T394 号

Fact or Fake: The Truth about Sports

First published in Great Britain in 2022 by Hodder and Stoughton

Copyright © Hodder and Stoughton Limited, 2022

All Rights Reserved.

著作权合同登记号：18-2024-107

事实还是假象：倒数第一也能赢得比赛吗？运动真相大揭秘！

SHISHI HAISHI JIAXIANG：DAOSHU DI-YI YE NENG YING DE BISAI MA? YUNDONG ZHENXIANG DA JIEMI!

著　　者：[英]安娜贝尔·萨弗里　　译　者：郭　澍

出 版 人：潘晓山　　　　　　　　责任编辑：李　叶　谷雨芹　谢俊木子

出版发行：湖南科学技术出版社

社　　址：长沙市芙蓉中路一段 416 号泊富国际金融中心

网　　址：http://www.hnstp.com

印　　刷：湖南省众鑫印务有限公司（印装质量问题请直接与本厂联系）

厂　　址：长沙市榔梨街道梨江大道 20 号

邮　　编：410600

版　　次：2024 年 12 月第 1 版

印　　次：2024 年 12 月第 1 次印刷

开　　本：880 mm×1230 mm　1/32

印　　张：3

字　　数：58 千字

书　　号：ISBN 978-7-5710-3110-7

定　　价：36.00 元

（版权所有·翻印必究）

目 录

你能分清
事实和假象吗?

挖虫子真的是
一项体育运动。

当然!

"雪上冲浪"
是一项备受欢迎的
冬季运动。

不可能!

穿红色可以助你
赢得比赛。

什么?

最长的拳击比赛
打了110回合,
持续7小时。

真的吗?

关于体育,有哪些是人们以讹传讹的谎言? 又有哪些是令人大跌眼镜的真相? 翻开本书,一起来寻找答案吧——拨开真真假假的迷雾,探索背后的体育真相。这些时而奇特,时而令人捧腹,时而又鼓舞人心的体育真相,一定会让你的队友和亲朋好友对你刮目相看!

我是赢了还是输了？

倒数第一
也能
赢得比赛

是真是假？

有一种比赛叫"后院超跑赛"，用时最长的选手才能获胜。每一名选手的目标都是耗走别人，成为"跑到最后"的那个人！

后院之王

2020年，由于新型冠状病毒感染，全世界范围内许多地方都举办了后院超跑赛。美国赛区的冠军是考特尼·道瓦尔特，她的比赛用时为68小时，跑了455千米。全球冠军是卡瑞尔·萨贝，他跑了502千米，用时75小时！

展开说说

2017年在美国田纳西州举办的"大狗后院超跑赛"开创了该类赛事的先河。比赛在一个全长6.7千米的环形跑道上进行，参赛选手必须在每一小时内都以最长的时间跑完一圈。在每小时的起始时刻，所有选手都必须从起点起跑——没有出现在起点的选手会被淘汰出局。

结论

真

高尔夫球

是绅士的运动，**女子** 禁止参加

是真是假？

"高尔夫球是绅士的运动，女子禁止参加"的说法纯属谣言。这种荒谬的说法始于1997年前后，而有记载的高尔夫运动以及"高尔夫"这一概念的出现则可追溯至15世纪。

展开说说

"高尔夫"一词在1457年苏格兰的一份文件中首次被提及，该文件禁止了高尔夫和足球这两项运动。究其原因，大概是当时的苏格兰男子玩物丧志，因为贪恋高尔夫和足球而荒废了射箭技术。当时，外敌侵略频繁，因此娱乐性质的体育项目被当时的国王詹姆士二世禁止！

结论
······
假

3

穿红色可以助你赢得比赛

是真是假？

一项研究表明，穿红色服装的战队更可能赢得比赛！会不会是因为我们本能地将红色看作支配和进攻的颜色呢？

展开说说

有研究认为这和我们对红色的反应有关；还有的科学家认为，是因为选手穿了红色而更加显眼；还有人认为，之所以有优势，是因为裁判看待穿红色选手的态度不同。具体是什么原因，众说纷纭，尚无定论，但总之红色球衣的优势已经显现！

结论
真

奥林匹克金牌是用金子做的

是真是假？

1912年瑞典斯德哥尔摩奥运会上，金牌是用纯金打造的。而今天的奥运会金牌，黄金的含量只有6克。

展开说说

金牌的制作按照国际奥委会的标准须包含92.5%的纯银和不少于6克的黄金。据世界黄金协会2012年估算，如果所有的奥运金牌都用纯金打造的话，费用将会是约4000万美元。

环保冠军

2016年里约热内卢奥运会的奖牌里还包含一种可回收的电子设备，充分体现了巴西对可持续发展的承诺。

结论

假

雪上芭蕾曾经是一项备受欢迎的运动

嗖地从坡上滑下，完成跳跃、旋转、空中翻转等一系列动作，穿着固定的服装，再配上音乐——这就是雪上芭蕾。这项流行于20世纪70年代的运动是一项具有反叛精神的运动，由那些打破严格滑雪规则的人发起！

展开说说

雪上芭蕾第一次出现在1988年的加拿大卡尔加里冬奥会上，后来在1992年冬奥会上也出现过，但最终被取消了，因为人们更喜欢专门的滑雪赛事。

苦苦挣扎

雪上芭蕾仍有一些爱好者，至今依然在苦练这项运动。自2000年以来，就没有正式的雪上芭蕾比赛了。

结论

真

运动员输了比赛会被罚泡一个「冰浴」

打完一场艰苦的比赛后,网球名将安迪·穆雷会跳进冰水里来一场冰浴。篮球巨星勒布朗·詹姆斯也会泡冰浴,还有其他众多项目的运动员,从田径到足球,大家都会泡冰浴。

展开说说

许多运动员喜欢泡冰浴,不论输赢。喜欢冰浴的也不仅限于运动界人士,流行天后嘎嘎小姐(Lady Gaga)在大型演唱会后也会来一场冰浴。还有一些芭蕾舞演员也是如此。冰浴可以减轻炎症反应,促进肌肉恢复,从而缓解肌肉疲劳。不过,这究竟是不是最佳解决方式,目前尚无科学定论。

结论
假

7

最早的篮球框是装桃子的

是真是假？

1891年，美籍加拿大体育教师詹姆斯·奈史密斯找来两个装桃子的筐，并把它们分别挂在体育场的两端。他当时应该也没想到，他发明的这项运动后来会火遍全球吧！

展开说说

为了让学生们在天气不好的时候也不闲着，奈史密斯将两个装桃子的筐钉在3米高的看台上。学生分成两队，将一颗球投入筐里。虽然第一场比赛略显混乱，但学生们依然热情很高，还想再玩。奈史密斯制定了更多的规则，篮球运动便由此诞生。

结论
真

网球拍上的线是用猫的肠子制成

是真是假?

网球拍的线用的的确是肠子，但不是猫肠子。一些网球拍的线是用牛的肠子做的。肠子做的线称为"肠线"，强韧而富有弹性。做一只球拍需要两头牛的肠子!

展开说说

这样的误解是有原因的：中世纪（约1100~1500年）有一种弦乐器，弹奏起来声音像极了猫的惨叫声，人们于是称这种乐器为"猫琴"。猫琴的琴弦是用动物的肠子做的。随着这种琴弦的用途越来越广泛，它的制作材料便得名"猫肠"。

新旧之争

许多网球运动员认为天然的肠线是最好的，但这些肠线造价很高，又不是很耐用，所以大多数人选用聚酯纤维制成的线做网球拍。

结论

假

9

拳击手弗拉基米尔·克利琴科把他的奥运奖牌卖了100万美元

奖牌出售

（买主后来又退还了）

是真是假？

这枚奖牌是2012年被弗拉基米尔和他的兄弟拍卖的，当时兄弟俩正在为一家致力于其祖国乌克兰儿童体育和教育事业的慈善基金会筹集善款。

展开说说

克利琴科在1996年亚特兰大奥运会上获得了超重量级拳击金牌，并于同年创立了克利琴科基金会。虽然买家竞拍到了奖牌，不过他随后就把奖牌退还回去了，这样克利琴科才得以将奖牌收藏在自己家里。

结论

真

迈克尔·乔丹

在高中时曾被篮球队除名

尽管篮球传奇迈克尔·乔丹本人也承认了这件事，但真相其实有点复杂。他去参加高中校队的选拔赛，却被另一个校队选中了。他没有被除名，而是根本就没被选上。

展开说说

15岁时，乔丹去参加他所在高中的校队选拔，但他落选了。这件事对乔丹打击非常大，因为他最好的朋友选上了。后来乔丹被初级校队选中。这次"除名"事件激励了乔丹，让他更加刻苦地训练，球技越来越好。

梦之队

迈克尔·乔丹是美国全明星篮球队的一员，该队曾在1992年奥运会上获得金牌。

结论
假

11

游泳运动员
迈克尔·菲尔普斯
获得的奥运金牌数
比许多国家获得的都多

12

展开说说

美国游泳运动员迈克尔·菲尔普斯在四届奥运会共赢了23块金牌，这一数量超过66个国家的总数。

菲尔普斯15岁时在2000年悉尼奥运会上第一次亮相。2004年雅典奥运会上，他勇夺6枚金牌。2008年北京奥运会上，他所向披靡，包揽了他参赛的每一个项目的冠军，共获得8枚金牌。2012年伦敦奥运会上，他又将4枚金牌收入囊中。此后，他非但没有退役，而是越战越勇，在2016年的里约热内卢奥运会上获得5枚金光闪闪的金牌！

奖牌之最

女子运动员：
拉里莎·拉蒂尼娜（苏联体操运动员），18枚奖牌，包括9枚金牌

残奥会运动员：
特里沙·佐恩（美国游泳运动员），46枚残奥会奖牌，包括32枚金牌

结论
真

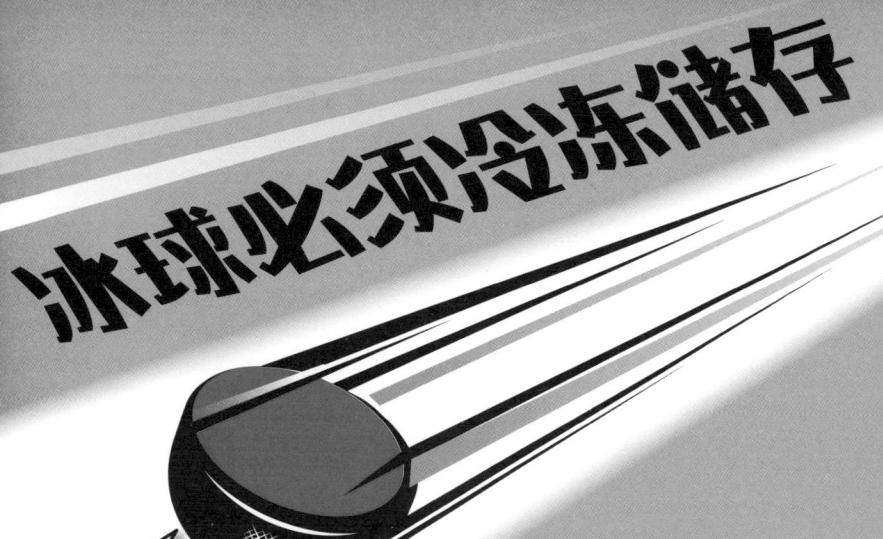

冰球必须冷冻储存

好冷啊!

是真是假?

冰球是用橡胶制成的，其制作过程中要对橡胶进行一种叫"硫化"的处理，以使其强度更大。不过即便如此，冰球还是具有一定弹性。冷冻处理后的冰球弹性会大大降低。

展开说说

冰球运动节奏很快，选手在赛场上会频繁击球，所以他们对冰球的控球越多，比赛就能打得越好、越安全。将冰球冷冻就可以让选手更容易控球。比赛过程中，冰球更换很频繁，所以场边会放一个冰袋，里面装了满满一袋备用冰球。

最好的冰球

冰球运动在19世纪发明之初，冷冻的粪球、球体或方块都曾被用来当"冰球"用。

结论

真

饿死了!

"披萨保罗"
在冰壶比赛时
吃着披萨

是真是假?

这是流行于冰壶界的一个传奇事件："披萨保罗"，即保罗·高赛尔，在比赛中途点了一份披萨到冰上吃。

展开说说

高赛尔在冰壶运动中素有"反叛者"的名声——他总是穿着一条格子长裤，打起比赛来不紧不慢。关于披萨的事，他解释说是迫不得已，因为队友们在一次锦标赛上意外打进前三后，在中场休息时都很饿。而堂食的队伍排了很长，于是他点了外卖——两个超大号特色豪华披萨。披萨里面什么都有，除了凤尾鱼。

结论
假

美式橄榄球一场比赛持续 3个多小时

我们在这儿蹲了多久了？

数不清几小时了！

是真是假？

美式橄榄球正式比赛分为4场，每场15分钟，整场比赛时长为1小时。不过，比赛总是暂停，所以对于观赛的人来说，看一场球动不动就要3小时起步。

结论
·············
真

展开说说

你一定会问，这怎么可能呢？其实，比赛暂停的原因多种多样：中场休息、回放、伤停、暂停休息等等。美式橄榄球是一种有着固定形式的运动：清空场地或换人时都要暂停比赛。其他一些运动，像足球、橄榄球等，比赛就相对流畅，因为需要暂停的情况较少。

英语里表示足球的"SOCCER"一词源于美国

是真是假？

世界上最受欢迎的运动是什么？当然是足球。不过，有些地方足球叫"football"，有些地方足球叫"soccer"。因为"soccer"一词被美国人用来指足球，所以大多数人认为"soccer"这个词来自于美国。

美丽的足球语言

不仅美国，澳大利亚、加拿大和新西兰也用"soccer"来指代足球。意大利人称足球为"calcio"。印度尼西亚人叫足球"sepak bola"。斯洛文尼亚和克罗地亚人管球叫"nogomet"！

展开说说

1863年，英格兰足球协会在英格兰制定了足球规则，发明了"英式足球"（association football），不过很快"football"就变成了"soccer"。因为美国发明了美式足球，这种运动既像橄榄球，又像足球。后来美国的这项足球运动被称为"football"，而英式足球则被称为"soccer"。

结论
假

17

橄榄球之所以是橄榄形，是因为以前的橄榄球是

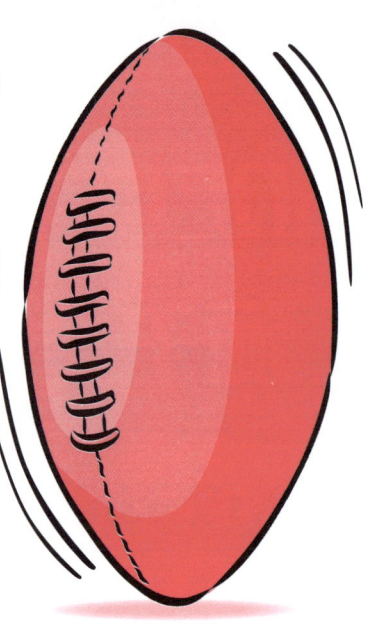

猪膀胱做的

是真是假？

橡胶发明之前，人们给猪膀胱充气，再包裹一层皮革，从而制成橄榄球。即便在橡胶发明出来后，橄榄球的制作依然沿用了最初的梅子或鸡蛋形状。

展开说说

不知道为什么橄榄球仍然保持着橄榄的形状。也许是因为这是一种需要用手持球的运动，而橄榄形比球形更容易手持。1892年，橄榄球联盟正式确定了橄榄球的尺寸。

结论
真

威廉·韦伯·埃利斯将足球抱起来跑动，由此发明了橄榄球

嘿，回来！

这个传说流传甚广，甚至有一个奖杯就是以他的名字命名的。不过，关于这件事，唯一的记载是在事情发生50多年之后，由一个并没有见证这件事的人写下，而且当时威廉·韦伯·埃利斯已经去世了。

威廉·韦伯·埃利斯奖杯

橄榄球世界杯的冠军将获得威廉·韦伯·埃利斯奖杯！

结论
假

展开说说

这个故事的叙述者，马修·布洛克山姆，在1876年写给报社的一封信中说，韦伯·埃利斯在1823年做出了那件创造这项运动的创举。这一事件距今的年头已经太久远了，因此橄榄球运动的确切源头已经无法验证。它的起源甚至可能追溯至古罗马的运动！

19

棒球卡在面罩里是犯规的

是真是假？

这听起来似乎不像是真的，但确实有一条规则，规定投球手不得将球卡在捕手面罩的护栏上（或任何其他装备里）。如果出现这种情况，则所有的跑垒员进一个垒。

展开说说

这条规则就是棒球规则的第5.06（c）（7）条：投球夹在捕手的护面或随身用具中，或卡在或夹在裁判员的服装、面罩或随身用具上，而且造成攻守行为中断时，成为死球局面，跑垒员进一个垒。如果裁判员认为捕手是故意将球藏在衣服里的，可以增加跑垒员的进垒数！

结论

真

20

爱你……

足球守门员发球不限时长

这是一条技术规则，也是裁判也许会宽大处理的规则。大多数守门员还是希望比赛顺利进行的，所以也会迅速把球发出去。不过，规则规定他们的持球时间不得超过6秒。

展开说说

如果守门员持球时间超过6秒，则对手会得到一次间接任意球的机会。这条规则是为了防止运动员故意拖延时间，不过，只要裁判看到守门员在积极寻找发球角度，他们判罚时也不会太严格。

结论
假

让你再磨蹭!

2015年的一场比赛中，门将西蒙·米尼奥莱特持球长达22秒，给对手送了一个任意球。正是这个球，直接造成了对手一个进球!

21

一位 七旬 奶奶

在7天内跑了7场马拉松，穿越了7大洲

是真是假？

完成这项挑战的人叫乔·史密斯，为了庆祝自己的70大寿，她在2017年参加了这项叫作"777挑战赛"的马拉松比赛。乔来自美国堪萨斯城。起初她跑步是为了休闲，后来慢慢地就开始挑战马拉松了。

展开说说

乔·史密斯出生于越南，是越南战争（1954~1975年）的幸存者。当时她13岁，被飞溅的弹片击中，现在她右侧的腿里和胳膊里还有残留的弹片。她说跑步时能感受到这些弹片带来的疼痛，不过她已经学会了克服这种痛。

结论

真

22

第一位骑自行车环游世界的女性是一名职业运动员

我得换上男装才行。

伦敦德里牌矿泉水

是真是假？

安妮·"伦敦德里"·科普乔夫斯基震惊了全世界。1884年，她学会骑自行车刚满两天，就开启了一段骑自行车环游世界的旅程！

令人惊叹！

安妮当时引起轰动的不仅是她骑自行车环游世界这件事，更令人惊叹的是，她全程大部分时候都穿着男装，骑着男式自行车。

展开说说

安妮出发时是一名波士顿的女工，也是三个孩子的妈妈，最大的孩子还不到6岁。勇敢的安妮在自行车上挂了一块赞助商——伦敦德里矿泉水的牌子，揣了一把防身用的珍珠小手枪就出发了。她这趟旅程历时15个月，并赢得了一万美金的奖励。

结论

假

我怎么觉得这个球有点别扭……

最早的排球是篮球的内胆

是真是假？

排球最初用的是篮球，但篮球太重了。此后，人们又用篮球的内胆当排球，但是又太轻了。最后，体育运动器材公司斯伯丁设计了一款恰好合适的球，几乎可以说是"金凤花姑娘球[1]"了……

展开说说

在篮球（参见第8页）发明出来几年后，威廉·摩根对篮球进行了改良而发明了排球。他见证了篮球的广泛流传，但觉得这项运动对于岁数比较大的人来说有些难度。于是他结合了羽毛球、网球和篮球，创造出了一种无身体接触式的运动，叫"小网子"。这项运动后来才更名为"排球"。

---

1 金凤花姑娘是英国童话角色，她来到森林里三只小熊的家，通过数次尝试，找到适合自己的食物和床。——译者注

结论

真

环法自行车赛的领骑员身着**黄色的**领骑衫

黄色的领骑衫是环法自行车赛中最受青睐的奖品，因为比赛领先的选手才能穿上它。之所以选黄色，是因为它更显眼。

不同颜色的领骑衫

黄衫: 总冠军，在最短时间内完成比赛的选手。

绿衫: 颁发给所有赛段总积分最高的选手。

红色圆点衫: 颁发给"山地之王"（爬坡赛段中积分最高的选手）。

展开说说

环法自行车赛开始初期，领先者佩戴绿色臂章。随着这项运动越来越流行，前来观赛的观众和前来报道的记者也越来越多，人们总是抱怨看不到哪位选手领先。1919年，第一件正式的黄衫被授予领先的欧仁·克里斯托弗，这样大家就能更清楚地看到他了。

结论...
真

25

赢得

20多次

马拉松是

不可能的……

是真是假？

塔迪亚纳·麦克菲登的运动生涯堪称传奇。她第一次亮相是在2004年雅典残奥会上，那年她15岁。在雅典，她勇夺两块奖牌，燃起了更强的斗志……

塔迪亚纳赢得的重要马拉松赛事

塔迪亚纳蝉联2013年、2014年、2015年、2016年四届马拉松比赛大满贯（在一年内获得四项大型马拉松冠军）。

展开说说

塔迪亚纳最初参加的是100米、200米、400米等轮椅短跑比赛；后来转向长跑，赢得了23次大型世界马拉松赛事，获得了17块残奥会奖牌——其中7枚是金牌。塔迪亚纳有一枚银牌甚至是在2014年冬季残奥会的越野滑雪中获得的！

结论
假

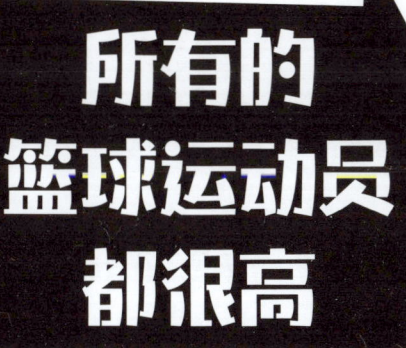

所有的篮球运动员都很高

是真是假？

篮球运动中，长得高确实有优势，而且篮球运动也的确有许多身高出众的体育运动员。不过，也有一些杰出的篮球运动员没有达到193厘米的平均身高。

展开说说

马格西·博格斯可能是身高较矮的篮球明星中最出名的。他于1987年完成自己的NBA首秀，其身高只有160厘米。厄尔·博伊金斯身高165厘米，斯伯特·韦伯身高170厘米。这些运动员虽然身高不占优势，可他们的体能、技术和决心弥补了他们身高的不足。

结论

假

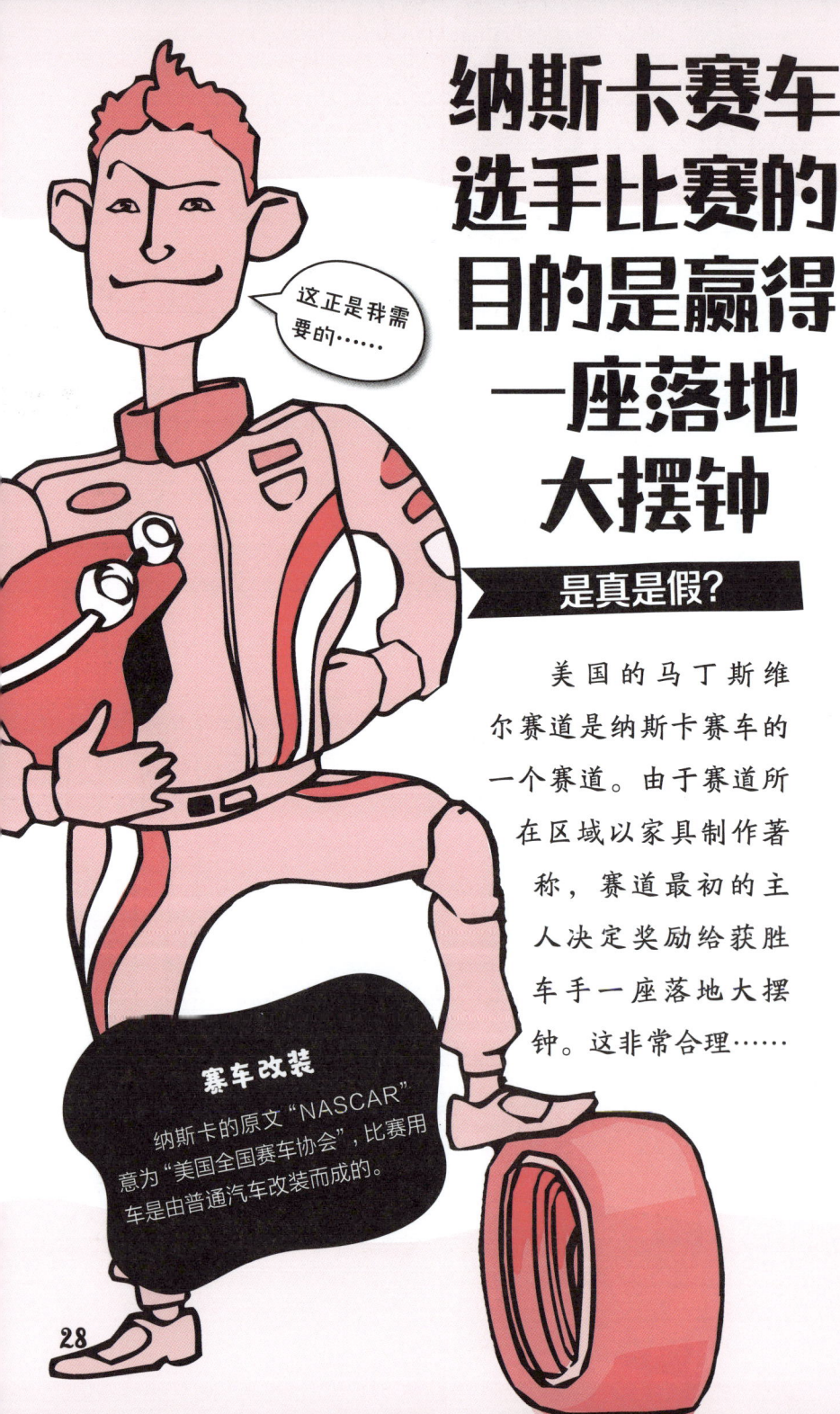

纳斯卡赛车选手比赛的目的是赢得一座落地大摆钟

这正是我需要的……

是真是假？

美国的马丁斯维尔赛道是纳斯卡赛车的一个赛道。由于赛道所在区域以家具制作著称，赛道最初的主人决定奖励给获胜车手一座落地大摆钟。这非常合理……

赛车改装

纳斯卡的原文"NASCAR"意为"美国全国赛车协会"，比赛用车是由普通汽车改装而成的。

28

还有这些奇奇怪怪的奖品

★ 一只活的龙虾——纳斯卡赛车（新罕布什尔州赛车道）
★ 一件绿色的夹克——高尔夫大师赛
★ 奶酪——意大利高尔夫公开赛
★ 一头奶牛或驯鹿——滑雪世界杯
★ 一块花岗岩的鹅卵石——巴黎-鲁贝自行车赛

咚！

展开说说

　　这座像个高塔一般的巨型奖杯于1964年第一次颁出，高达2.13米。它是车手们竞相追逐的对象，有些车手甚至赢了不止一座——已退役的赛车手理查德·佩蒂就赢过15座！

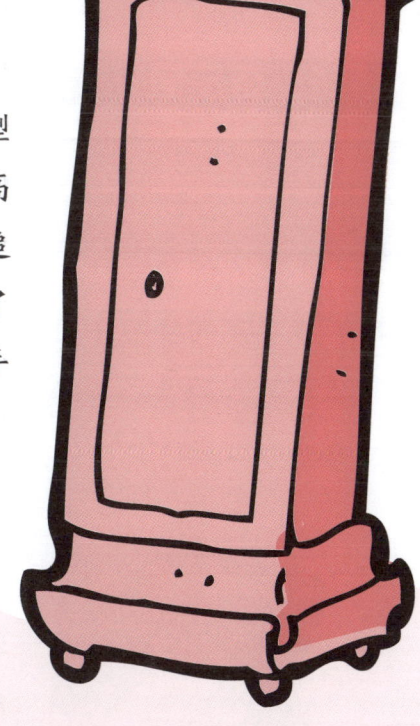

结论

真

足球守门员不能得分

你也许会想,守门员离对方的球门90米开外,怎么可能进球得分呢?事实是的确有守门员进过球,而且远比你能想象的还要频繁!

展开说说

进球距离最长的记录来自一个门球,从一个球门直接踢入对方球门,距离长达96.01米。其他时候,想要在比赛快结束时进球的队伍可能会让他们的守门员在禁区里伺机得分,或需要他们的守门员帮忙罚点球。

结论
假

所有的棒球都被缝了108针

是真是假？

棒球的球是由两块"8"字形皮子缝合而成。两块皮子用223厘米的红色蜡线缝合在一起。之所以选择红色，是因为它比蓝色或黑色都要显眼。

里面是什么？

棒球的芯是由软木做成的，外面用橡胶包裹，再用纱线扎好，最后裹上一层牛皮。

展开说说

棒球的制作在历史上经历了一个演进过程。起初是将做鞋子的橡胶溶化来做芯，在相当长的时间里，投手必须自己制作棒球。19世纪50年代，棒球的制作才得以规范化，同时，108针被认为是最完美的缝合针数！

结论

真

31

打电子游戏不算运动

是真是假？

体育运动需要具备以下特征：竞技，运动天赋、耐力、反应迅速及动作协调等身体素质，粉丝和观众，以及全情投入训练、不断追求进步的运动员。这些特点电子游戏都不具备吗？又或者都具备呢？

结论

假

展开说说

许多人认为，电子游戏或电竞，也包含上述体育运动的特征。电竞产业巨大，呈国际化、多样性特点。电竞可以在大型竞技场举行，有评论员和观众；选手可以组队参加团体赛，也可以参加个人赛；脱颖而出的选手会获得高额奖金和赞助……综上，我没有理由说它不是体育运动！

猴子是2010年新德里英联邦运动会的

别乱动！

安保成员

是真是假？

2010年英联邦运动会在印度新德里举办，警察用训练过的叶猴帮助他们把其他猴子赶走，不让它们到场地中来。拳击和曲棍球场地是主办方尤为关注的。

展开说说

成千上万的猴子自由自在地游走在印度城市的大街小巷，因为它们是受保护的动物。不过，它们也的确会引起一些问题。在2012年政府禁止这种行为之前，叶猴一直被警察训练来管控这些猴子。

结论

真

小小鱼儿大用处

还是在新德里的这届运动会上，场馆中心的水塘里养了一些特别的鱼。这些鱼被寄予厚望，它们的任务是吃掉水里的蚊子幼虫，好阻止这些幼虫变成蚊子出来滋扰运动员和观众。

温布尔登奖杯顶部有一颗菠萝，因为以前的冠军奖品就是一颗菠萝！

是真是假？

这座头顶菠萝的奖杯于1887年问世，不过没有人知道究竟为什么菠萝这种异国水果会被选中放在奖杯顶部。冠军的奖品并不是菠萝，而是一座复制的奖杯，还有奖金。

展开说说

菠萝奖杯直到今天还在使用，不过下面多加了一个底座，以便有足够的地方能刻上更多获胜者的名字。至于顶部为什么是一个菠萝，最有可能的原因是，菠萝在19世纪是一件奢侈品，是财富的象征。

结论

假

环法自行车赛的第一位获胜者后来被撤销了名次，因为他在比赛中乘坐了火车

是真是假？

第一届环法自行车赛于1903年举办。意大利选手莫里斯·加林轻松超过了其他竞争对手。1904年第二届环法自行车赛，加林又来参赛，不过据说他在一段比较棘手的路段为了抄近道跳上了一辆火车。

展开说说

1904年的比赛结束后，主办方剥夺了四名顶级骑手的头衔。关于他们的调查结果，没有留下任何记录。今天，仅有的线索是年老的加林承认自己当年跳上了一辆火车。

结论

真

冷静！

第一届环法自行车赛取得了不小的轰动，第二年更加举世瞩目。不过，粉丝的行为则完全过了，他们蓄意破坏，甚至攻击其他参赛者，来支持自己的偶像。

35

最长的拳击比赛打了110回合，持续7小时

1893年，安迪·鲍恩和杰克·伯克两名拳击手在美国路易斯安那州的新奥尔良走入拳击台，开始了一场平常普通的拳击赛。没想到，他们打了110个回合，比赛持续了7小时……最后还打成了平手。

ZZZZZ

36

　　这场比赛是南方轻量级冠军赛。伯克在前25个回合中领先，在第25回合中被打倒，不过在裁判数到"8"结束比赛之前，他又站了起来，开始了下一回合的比赛。最终，在第110回合时，两名选手都精疲力尽，裁判只好判了平局。

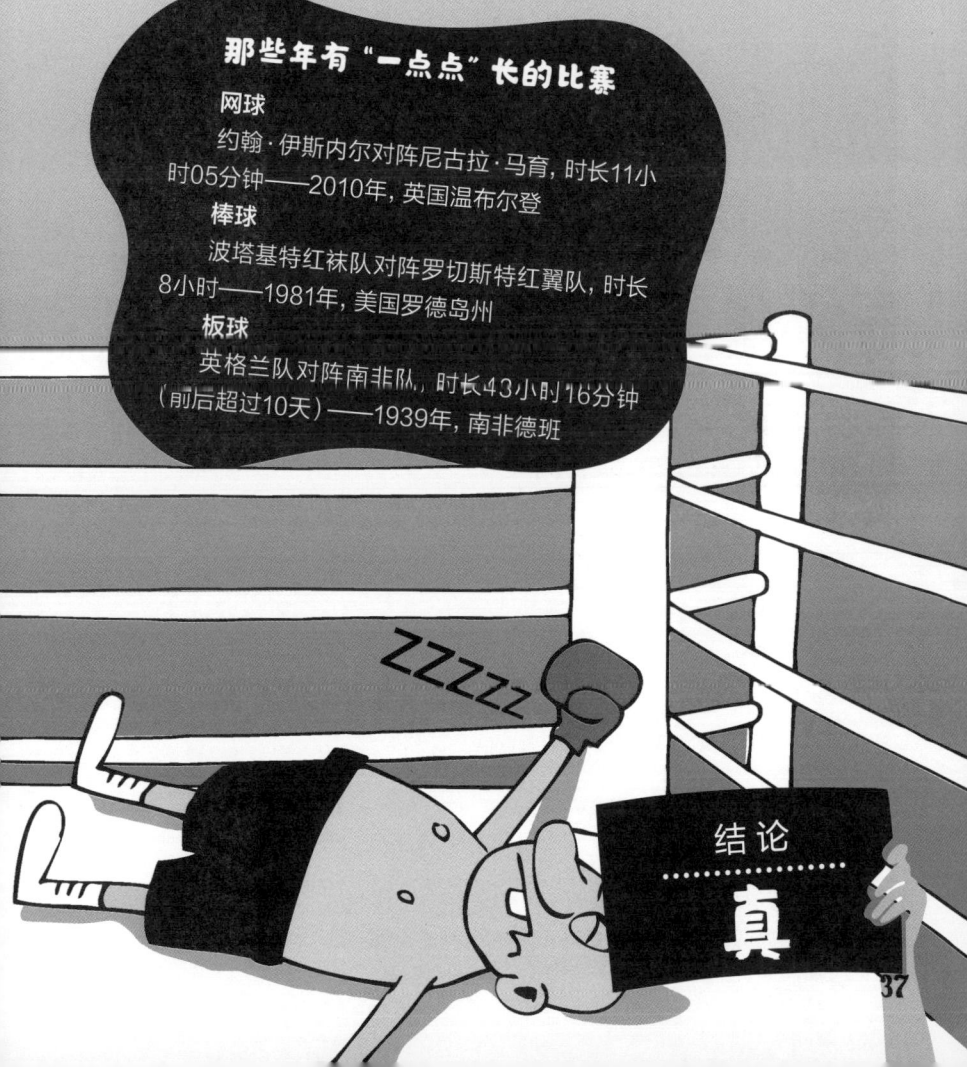

那些年有"一点点"长的比赛

网球
约翰·伊斯内尔对阵尼古拉·马育，时长11小时05分钟——2010年，英国温布尔登

棒球
波塔基特红袜队对阵罗切斯特红翼队，时长8小时——1981年，美国罗德岛州

板球
英格兰队对阵南非队，时长43小时16分钟（前后超过10天）——1939年，南非德班

结论

真

太空中无法进行
体育运动

去往国际空间站的宇航员不仅仅带着飞盘和飞镖等，阿波罗14号上的一名宇航员甚至要在月球上打高尔夫呢！

航天球！

阿波罗14号宇航员艾伦·谢泼德打到月球上的那颗高尔夫球，现在还在月球上呢！

结论……
假

展开说说

太空中没有重力，所以运动很重要，它可以让人的骨骼和肌肉保持强壮。体育运动可以让锻炼身体这件事充满乐趣！一些宇航员在太空中举行接力赛，还发明了许多新的比赛。2007年，苏尼特·威廉姆斯在国际空间站的跑步机上完成了波士顿马拉松。她在90分钟内完赛，还完成了绕地球一周的壮举。

一些泳衣被禁是因为它们可以使运动员游得更快

2009年在罗马举行的世界游泳锦标赛上，43项世界纪录被打破。这届比赛被称为"塑料比赛"，因为许多运动员都穿着高科技的泳装，这极大地提高了他们的成绩。

展开说说

负责世界水上运动管理的机构国际泳联调查发现，这些高科技的新泳衣给运动员带来了过多的优势。这些泳衣是用防水的聚氨酯泡沫塑料做的，而不是针织材质。除了禁止聚氨酯泡沫塑料这种材质外，国际泳联还禁止穿着全身泳衣。

我穿得太少了!

结论

真

玛蒂娜·辛吉斯

16岁

就已成为世界第一

玛蒂娜·辛吉斯于1996年获得了温布尔登澳网公开赛和美国网球公开赛的女子单打冠军，成为世界第一。那年，她16岁。1998年，她再次勇夺澳网公开赛冠军，在女子单打和双打中均排名第一。

展开说说

玛蒂娜的母亲是一名职业网球运动员，玛蒂娜从小就受到母亲的熏陶，开始了网球生涯。12岁时，玛蒂娜赢得了青少年法网公开赛，13岁时又赢了青少年温网公开赛。15岁时，玛蒂娜和搭档海伦·苏科娃组队，赢得了温布尔登女子双打冠军。

结论

真

在水下无法做运动

是真是假？

运动是一件人们不管在哪里都会做的事情！不论是在月球上（参见第38页），还是在深海里，或者其他任何地方，一定有人在做运动。尽管看似无法实现，实际上已经有许多运动在水下进行了！

展开说说

自由潜水、蹼泳和水陆两项等水下活动都已经成为运动项目。还有一些水下运动是人们将陆上运动移至水里进行，比如足球、曲棍球、橄榄球和拳击，甚至冰球！

结论
假

好冷！

水下冰球是一项水下极限运动，在水下6米至8米深的地方，在冰冷的溜冰场或被冻好的池子里进行。选手不佩戴任何呼吸设备，而是每隔30秒就到水面上去换气！

41

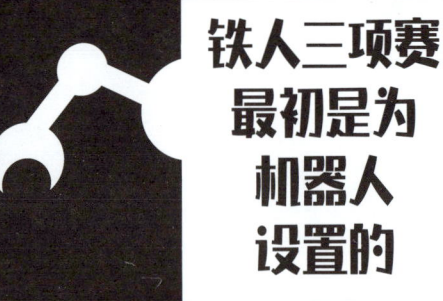

铁人三项赛最初是为机器人设置的

是真是假？

第一届铁人三项赛于1978年2月18日在夏威夷举行，比赛全程长226千米。这场比赛是铁人三项爱好者柯林斯夫妇一直以来的梦想。

展开说说

第一届铁人三项有15名参赛者，此后人数逐年增加。1980年，柯林斯夫妇许可美国广播电视公司将赛事摄制成录像，吸引了全球的观众。今天，全世界有铁人三项赛170余种。

"铁血牛仔"

2015年，詹姆斯·劳伦斯完成了50场铁人三项赛，而且是在50天内，在美国50个不同的州！

结论

假

网球赛场上声波攻击来源于古代战场上的嘶吼

每到网球赛季,关于某些球员的吼声是否太大的争论就开始了。尽管有一些吼声十分恐怖,但没有证据能证明它们和古代战场的嘶吼有什么关联。

展开说说

一些球员被教导击球时要大喊一声:吼一声会让他们猛地呼一口气,这样球打出去会更稳当。不过,一些选手因吼声太大而招致对手的控诉,因为这样对手就会因听不到击球的声音而处于弱势地位。

结论

假

43

数羊也是

咩……

是真是假？

和澳式橄榄球、橄榄球、无挡板篮球及板球一样，数羊也是澳大利亚人热爱的一项运动——严格来说，是部分澳大利亚人所热爱的。

展开说说

首届数羊比赛举办于2006年，比赛流程是放出一群羊，选手通过数羊来猜它们的数量。最接近实际数量的选手获胜。

一种运动

那些不可思议的运动

★ 挖虫子（参见第56页）

★ 滚奶酪

★ 背老婆

★ 泥沼游泳

★ 极限熨烫

★ 掰脚趾

结论
·············
真

冰球史上最快的"帽子戏法"只用了21秒

1952年3月,美国纽约麦迪逊广场花园,纽约游骑兵队对阵芝加哥黑鹰队。芝加哥黑鹰队的队长比尔·莫申科创造了"帽子戏法"的历史!

展开说说

芝加哥黑鹰队在比赛的最后一个赛段以2比6的比分落后。接着,奇迹发生了:在6分09秒、6分20秒和6分30秒时,莫申科接连进球,仅仅用了21秒就将比分追至5比6。接着,45秒后,他因失误错过一次进球机会,不过他的队友连得2分,将比分扭转为7比6,最终赢得了比赛。

结论

真

46

13岁的孩子太小，不可能赢得金牌

是真是假？

2008年，艾利·西蒙兹在残疾人奥运会上赢得了2枚金牌。当时她还只有13岁。第二年，她在世界短池游泳锦标赛上勇夺6枚金牌。2010年，她又在世界游泳锦标赛上夺得4枚金牌。

展开说说

艾利在2012年伦敦奥运会上续写了传奇，又获2枚金牌，并且打破了世界纪录。她一共获得了9枚金牌。艾利5岁开始游泳，2004年在观看雅典奥运会时受到鼓舞，树立了冲击残疾人奥运会的远大志向。

年少有为的运动员

2021年，13岁的西屋红叶获得了东京奥运会滑板金牌。

2004年，12岁的杰西卡·朗在雅典残疾人奥运会游泳项目中获得3枚金牌。

结论

假

劳拉·德克独自完成环球航海时只有14岁

劳拉·德克决心要完成这场她生命中最重要的航行！她勤学苦练，在14岁时终于扬帆远航，独自完成了环球航海。

结论

真

展开说说

2010年8月劳拉从直布罗陀海峡独自起航。她先来到加纳利群岛，接着向西横渡北大西洋，穿越巴拿马海峡，渡过太平洋，穿过好望角附近的托雷斯海峡，又横渡南大西洋，来到加勒比海。2012年1月，她到达荷属圣马丁岛，完成了她史诗般的航行。

没有残奥会之前，残疾人运动员不能参加体育比赛

是真是假？

1904年，乔治·艾塞尔完成了奥运会体操项目的比赛。他获得了3枚金牌、2枚银牌和1枚铜牌——参赛时一侧腿用的是木制的假肢。

展开说说

乔治住在美国密苏里州的圣路易斯。1884年，他随家人从德国移民到美国。他小时候因为受伤而失去了一截左腿，从此在膝盖以下装了一截主要由木头制成的假肢。乔治在双杠、25英尺爬绳和跳马项目中夺得了金牌。

结论 假

首届残奥会

直到1960年，首届残奥会才在意大利罗马举行。

灰烬杯板球赛的奖杯里装着

最初的奖杯很小，大约15厘米高，里面明显有一些横木（板球运动中三柱门上方用来保持平衡的木头横梁）烧成的灰。尽管比赛以此命名，但这个奖杯从来没有被官方用作奖杯。

啪!

结论
假

50

真正的骨灰

展开说说

1882年，在英国伦敦的椭圆板球场，英格兰队输给了澳大利亚队。《体育时报》登载了一则新闻（右图），戏称英格兰队的失败为"英国板球之死"。后来英格兰队在澳大利亚获胜，得到的奖杯是一个小小的骨灰瓮，里面装着横木烧成的灰。

如今的灰烬杯比赛在英格兰和澳大利亚之间举办，由五项赛事组成，每两年一届。获胜者会得到一座晶莹闪亮的玻璃奖杯。

灰烬杯讣告

沉痛悼念英国板球，它于1882年8月29日在椭圆板球场与世长辞。

众亲友泣告
安息吧！

特别提示：
遗体火化后，骨灰将被运往澳大利亚。

马拉松的距离恰好是公元前490年信使斐迪庇第斯送信的距离

是真是假？

公元前490年，古希腊军队的信使斐迪庇第斯十分擅长长跑，他被人从马拉松的战场派往雅典送信，把希腊战胜波斯的好消息带回雅典。

职责所在

斐迪庇第斯是希腊军队里负责日间送信的信使。他的工作就是徒步远距离传递信息。

展开说说

第一届奥运会上的马拉松比赛即以这场不可思议的长跑命名，斐迪庇第斯实际跑了将近40千米。今天的马拉松全长42.195千米，这一距离是在1908年的伦敦奥运会确定下来的。从温莎古堡到奥林匹克体育馆的距离是41千米出头；再加上一圈352米的环路，为的是让英国国王爱德华七世在城堡里也能看到终点线！

结论

假

最快的羽毛球球速超过每小时490千米！

2013年，马来西亚选手陈文宏尝试刷新世界最快羽毛球（不是在一场比赛中）的纪录，当时的世界纪录是421千米/时。他一记扣杀，果然不负众望，将纪录刷新到了493千米/时！

结论

真

展开说说

在羽毛球的所有击球方式中，扣球是速度最快的。比赛中的扣球速度最高纪录是426千米/时，该记录由丹麦的马德斯·皮勒尔·科丁在2017年创造。羽毛球的速度比拼不仅限于球速：1996年，韩国选手罗景民在一场比赛中仅仅用了6分钟就击败了对手——英格兰队的朱莉亚·曼恩！

网球要做成黄色才能上电视

网球第一次在彩色电视里露面是在20世纪70年代。国际网球协会于1972年开始使用黄色球，因为研究表明，黄色的球在电视屏幕上更加显眼。

皇家网球

莎士比亚在其剧作《亨利五世》中写到，年轻的亨利国王收到法国王子赠送的一箱网球。亨利回应道："如果我们要向这些网球挥动球拍，上天作证，那就一定要到法国去打上一场。"

展开说说

1972年以前，网球用球都是黑色或白色的。为了看清楚哪个颜色在电视上看起来效果最好，人们做了一系列屏幕试播，最终选定了一种叫"视觉黄色"的颜色。温布尔登网球锦标赛则继续使用黑球或白球，直到1986年。

结论
......
真

来啦！

现代五项运动来源于战场上的通信兵

"现代奥运会之父"顾拜旦创造了现代五项运动这项代表全能的运动——集力量、健身和技巧于一体。据说他发明这项运动的灵感来源于古希腊战场上一个通信骑兵的日常。

结论

真

展开说说

传说中古希腊战场上的通信兵需要完成击剑、游泳、跑步、射击等，才能把情报送到指定地点。据说顾拜旦以此为原型，创造了新版的五项运动来取代古代奥运会里本就有的五项运动。那时候的五项运动包括赛跑、跳远、摔跤、掷铁饼和标枪。

你们这些虫虫真是棒极了——也好看极了!

过奖过奖!

挖虫子真的是一项体育运动!

是真是假?

挖虫子比赛的目的是将尽可能多的虫子吸引到地面上来。选手可以使用任何方法来吸引虫子:把叉子敲得叮当响,敲地面,或者也可以用嘴喷一口任何液体(只要你愿意先含一口在嘴里!)

虫子召唤术

在美国,挖虫子比赛也被称为"虫子召唤术",这一传统最早是为了捕捉用作鱼饵的虫子。

展开说说

截至本书写作时,15分钟内吸引到最多虫子的纪录保持者是苏菲·史密斯。她在一块3平方米的土地上一共引来567只虫子。她创造这项纪录时是2009年,当时她只有10岁!

结论

真

瑞士卫队和博物馆保安在梵蒂冈足球队踢球

展开说说

梵蒂冈城国虽然只有居民800人，但他们的足球事业却是相当繁荣，场面非常宏大。梵蒂冈足球队的成员都来自罗马教廷——罗马天主教的行政机构。

今天的梵蒂冈城国虽然有国家男子和女子足球队，但它不是国际足联成员国。因此其球队只能参加足球联赛，与其他非国际足联成员国的国家交手，如摩纳哥。最受欢迎的联赛是神职者杯足球赛，选手为神学院的学生，奖品是一座由教皇祝祷过的奖杯。

结论

真

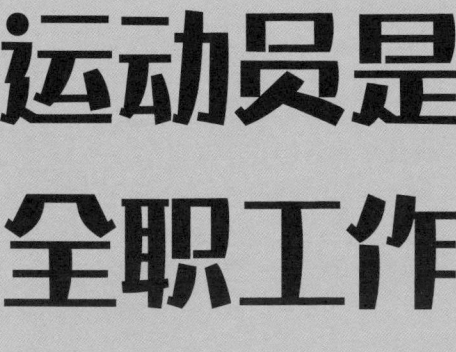

我可是得过4枚奥运会奖牌的人！

运动员是全职工作

展开说说

在奥运会上比赛的运动员通常都有一份运动以外的全职工作：美国铁人三项赛冠军格温·约根森是一名出色的会计师；美国击剑铜牌得主雷斯·伊姆博登还是一名音乐节目主持人；挪威选手奥拉夫·图弗特曾经在赛艇比赛中赢得2枚金牌、1枚银牌和1枚铜牌，可他同时还是一名消防员和一名农夫！

是真是假？

虽然一些顶级体育运动需要运动员投入大量的时间和精力，但是许多运动根本赚不到足够的钱。因此这些运动员不得不去从事别的工作。

结论

假

给赛马起名字不能超过18个英文字母

是真是假？

给赛马起名字虽然可以天马行空、极尽想象，但还是有一些限制：不能超过18个字母（包含空格），且不能包含标点符号，不能超过7个音节。

展开说说

赛马取名还有一些针对内容方面的要求：不得包含侮辱性字眼，不能用人名（除非得到本人授权），不能和名马重名，不能用网站名来命名。

结论

真

被大海治愈

著名赛马红兰姆在还是个小马驹时患了腿疾。它的驯马师带它到沙地和浅滩里奔跑，后来红兰姆也十分争气，在英国国家障碍赛马大赛中拿了三届冠军！

无挡板篮球是女子专属运动

没有哪项运动是男子或女子专属的。尽管无挡板篮球最初相当于女子版的篮球，但目前全世界玩无挡板篮球的男女都有。

只有网的篮球

无挡板篮球得名于它的立柱：和普通篮球里带篮板的篮网不同，无挡板篮球中是没有挡板的，篮网直接置于一根柱子顶端。

展开说说

无挡板篮球赛最初是从篮球演化而来。有人说这种变化来自于人们对篮球规则的误解，还有人说改变后的这项运动让女性可以穿着更适合的服装。在澳大利亚和新西兰，无挡板篮球一直被称为"女子篮球"，直到1970年左右才有所改变。

结论
假

庭院网球是用人类的头发制成的

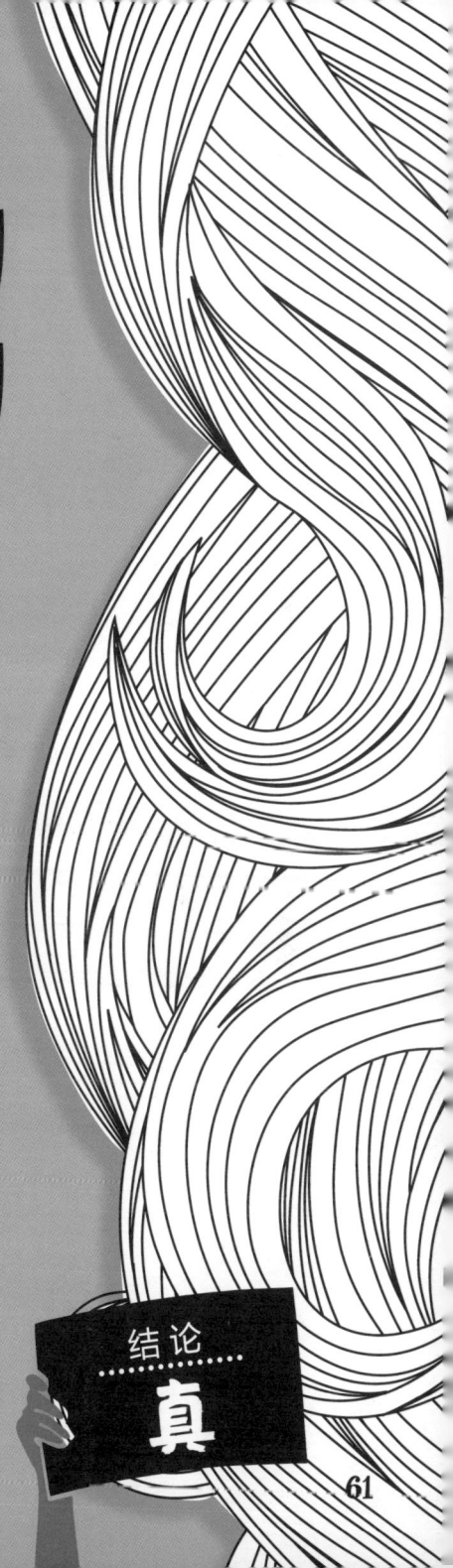

庭院网球是我们今天所熟知的网球运动的一个来源。庭院网球的球是在球里填充材料制成，这些材料包括破布头、马鬃毛、动物肠子，甚至人的头发！

展开说说

庭院网球始于15世纪，又被称为"皇家网球"或"国王的运动"。庭院网球是一项室内运动，球不具有弹性。

20世纪20年代，伦敦威斯敏斯特大厅重修施工时，人们在屋顶上发现了一些网球，这些网球就是用油灰腻子和人的头发制成的！

结论……

真

61

魁地奇如今已经成为一项真实存在的运动

　　J.K.罗琳的《哈利·波特》系列的书迷们热衷于将魁地奇这项虚构的运动变成现实。虽然麻瓜们不会飞，可他们依然不屈不挠地在世界各地成立了各种魁地奇联盟，并举办魁地奇比赛。

展开说说

麻瓜魁地奇选手也遵循罗琳在书里制定的比赛规则。他们"骑着"扫帚奔跑，互相传递鬼飞球，并通过将鬼飞球投入高高的圆环来得分；同时，他们也要躲避游走球的袭击。比赛期间，一名身穿金色衣服的中立选手会不时地冲到赛场上，假装成金色飞贼；金色飞贼的目标是躲避两队的找球手，使自己不被他们抓到。

什么都能玩

新鲜的体育运动层出不穷。不信，你还可以了解一下波沙球、笼式网球（参见第70页）、雪地排球（参见第82页）等。

结论

真

63

相扑运动员身体不健康

是真是假?

相扑运动员以体形庞大著称。有些相扑运动员体重可达180千克,每天要摄入高达7 000卡路里的能量。不过相扑运动员也是高强度训练的运动员,他们的饮食也经过精细的规划。

展开说说

相扑运动比拼的就是重量。不管什么东西,重量越大,就越不容易被撼动。对于挪动脚步或被挤出圆形场地就丢分的相扑选手来说,增重绝对是一件好事。相扑选手每天要经过刻苦的训练,以增加肌肉,并使脂肪只聚集在皮下,而不会包裹住重要的脏器。

相扑部屋

日本相扑选手生活的训练营地叫"相扑部屋"。每名参赛选手都梳着同样的发型——像一片银杏叶的形状。

结论

假

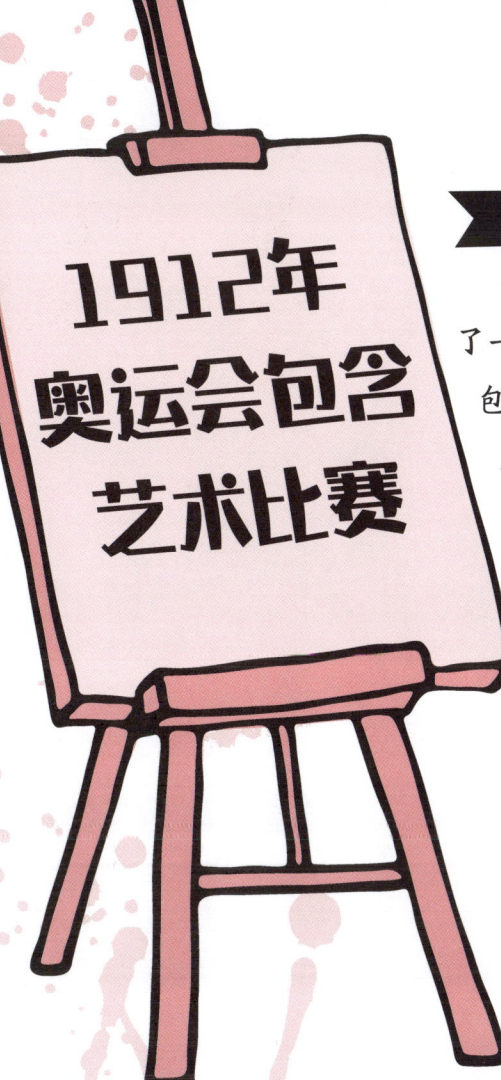

1912年
奥运会包含
艺术比赛

结论
真

1912年，奥运会官方宣布了一项通知：本届奥运会将包含艺术比赛。顾拜旦参加了文学类的比赛，还夺得了金牌！

展开说说

顾拜旦是现代奥林匹克运动的创始人。艺术比赛包括建筑、雕塑、绘画、音乐和文学五大类。不过所有作品都必须和体育有关。顾拜旦的参赛作品叫《体育颂》，有法语和德语两个语种的版本，并且分别用了笔名乔治·奥罗和M.埃施巴赫来署名。

鹰眼技术得名于一只叫
鲁弗斯的老鹰

鹰眼技术可以精准捕捉球的移动，帮助裁判精确回看球的移动或弹跳轨迹。这一技术现已被广泛运用于网球、板球、足球、橄榄球和棒球等许多比赛中，且正在被推广到越来越多的比赛项目里！它之所以得名鹰眼，是因为它的发明者保罗·霍金斯（Paul Hawkins）的英文名里有"hawk"一词，意为"鹰"。

是真是假？

鲁弗斯是一只栗翅鹰，被温布尔登网球锦标赛用来赶走飞入球场的鸽子。虽然网球中的鹰眼技术和这只优雅的猛禽有同样敏锐的视觉，不过，这项技术的命名来源却另有其人。

结论

假

66

长跑选手阿贝贝·比基拉曾赤脚得过一次奥运会马拉松冠军

是真是假？

埃塞俄比亚选手阿贝贝·比基拉28岁时来到罗马，参加1960年的奥运会。他像往常一样光着脚跑完了马拉松比赛。在距离终点线1 000米时，他稍作停留，但仍然以200米的优势夺冠。

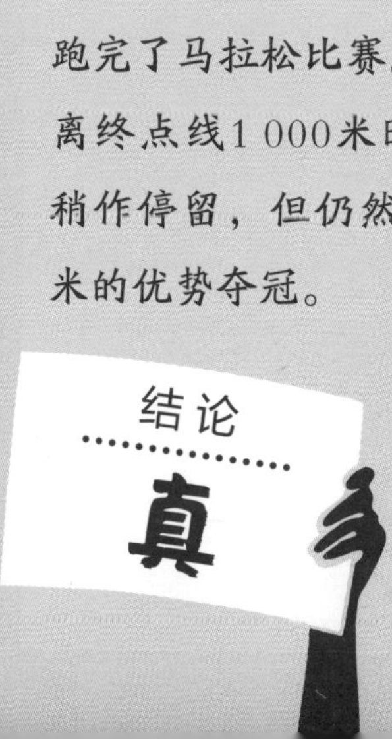

结论

......

真

展开说说

比基拉和他的教练奥尼·尼斯坎南决定，他要在恰好距离终点线1 000米的阿克松方尖碑处停留片刻。这块方尖碑原本是埃塞俄比亚的建筑，在数十年前被意大利军队掠夺并带到了罗马。

打破纪录的人

比基拉在1964年又走上了东京奥运会赛场。他以足足4分钟的优势夺冠。这次他穿了鞋和袜子。虽然参赛前一个月做了阑尾炎手术，可他还是创造了世界纪录！

67

板球裁判一定会忽略选手的申诉

是真是假？

板球比赛中有一项奇怪的规则，即便某个球员已出局，裁判也不能判其出局，除非接到外野手的申诉。这就解释了为什么外野手会抓住一切机会向裁判申诉！

展开说说

外野手必须在球再一次被投出之前提出申诉。板球比赛中，外野手通常用"怎么回事"来对各种"出局"的情形提出申诉：被砸桩出局、被接杀出局、触身出局、跑动中被砸桩出局，以及被守桩员砸桩出局。

神奇的巧合

英国板球运动员阿莱克斯图尔特退役时，跑动得分总分数为8463分。巧的是，这串数字和他的出生日期1963年8月4日不谋而合[1]。

结论

假

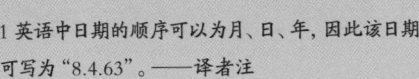

---

1 英语中日期的顺序可以为月、日、年，因此该日期可写为"8.4.63"。——译者注

脚也可以搭弓射箭

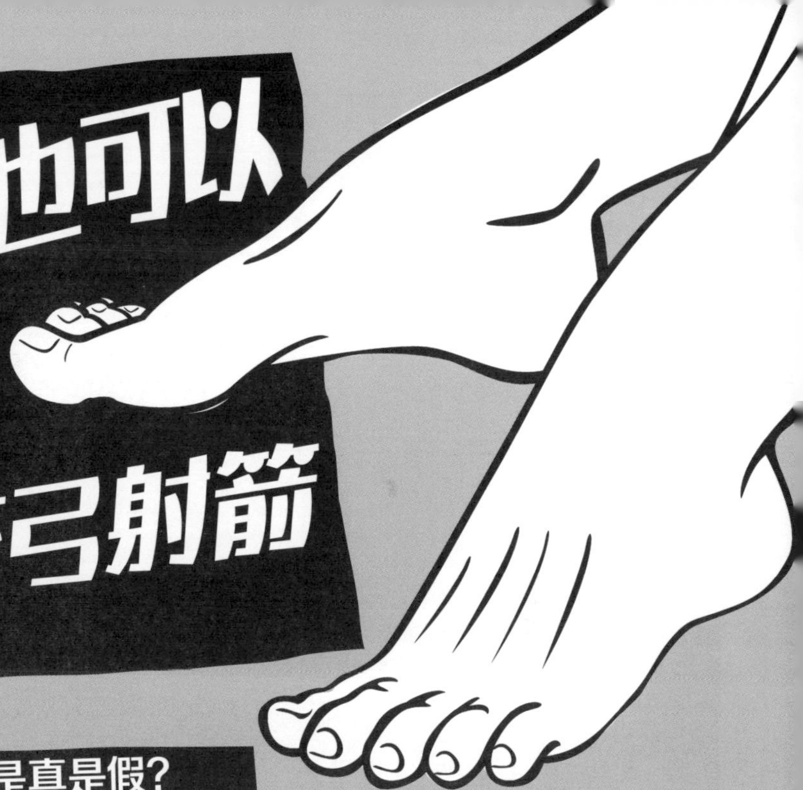

这是真的，布里塔尼·沃尔什就能做到！2018年，布里塔尼用脚将一支箭射出了12.31米，她凭借这一创举创造了世界纪录。关于这项纪录，还有更令人不可思议的一点：她射箭时，是用双手倒立保持平衡的！

展开说说

布里塔尼不仅是一名出色的体操运动员，还是一名优秀的射箭运动员。她将两项技能相结合，向世人展示了令人叹为观止的高超技艺。她从小就开始训练并参加体操比赛，后来加入一家形体剧团。她能蒙着眼睛表演杂技射箭，而且射的还是箭头燃烧着火焰的"火箭"！

结论

真

笼式网球在水里进行

是真是假?

笼式网球是一项激动人心的陆上体育运动,其发源地是墨西哥。这是一项融合了网球和壁球的运动,如今已成为西班牙第二受欢迎的运动。

网球的变体

网球还有一个变体,叫"匹克球"。它是一种融合了网球、乒乓球和羽毛球的运动。匹克球的球拍是实心的;球由硬塑料制成,上面有许多小孔。

展开说说

足球明星利昂内尔·梅西有自己的笼式网球场。网球运动员安迪·穆雷和杰米·穆雷兄弟、足球教练尤尔根·克洛普等都是这项运动的爱好者。笼式网球是双打运动,场地比网球场小,且四周有透明玻璃围墙,球可以在上面反弹。

结论
假

拳击手需要吃许多生鸡蛋

是真是假？

吞下生鸡蛋，是史泰龙主演的拳击电影《洛奇》中的著名桥段，生鸡蛋作为拳击手饮食的一部分也因此而闻名于世。然而，生鸡蛋并不是拳击手不可或缺的食物。

展开说说

鸡蛋富含蛋白质，因此和其他富含蛋白质的食物一起被作为拳击手的推荐饮食。蛋白质可以让肌肉恢复和生长。蛋清的主要成分为水和蛋白质，蛋黄还包含许多其他营养物质。

结论

假

超过8 000人参加了世界最大规模的跆拳道表演

2018年4月21日，8 212人齐聚一堂，参加当时世界上最大规模的跆拳道表演。这次表演在韩国举行，其目的是在当年朝韩首脑会晤之前传播和平的愿景。

展开说说

这场举世瞩目的表演在韩国首尔举行。各个年龄段的跆拳道练习者身着传统跆拳道道服，进行了一段10分钟的集体表演。跆拳道是朝鲜半岛的古老武术，包括一系列踢腿、防挡、出拳等动作，这些动作统称为"品势"，又称"型""套路"。

结论

真

拳王阿里
曾把他的金牌扔进河里

是真是假？

这个故事的真假已经成谜：阿里在一次采访中亲口说他把金牌扔进了俄亥俄河，后来又说他只是不知道放哪儿了。后来有人声称在俄亥俄河中真的找到了那枚金牌！

展开说说

阿里在1960年罗马奥运会上赢得了一枚金牌，并骄傲地佩戴着它。后来，他在一家餐厅遭到种族歧视，餐厅拒绝为他提供服务。此次事件后，他发表声明称已将金牌扔进河里。后来他又告诉记者他把金牌弄丢了。2012年，据称一名俄亥俄的居民在帮忙清理河道时，发现了一枚1960年罗马奥运会的金牌……

真正的拳王

截至1981年退役时，阿里共打过61场比赛，其中56场获胜。阿里1964年获得"世界重量级拳王"头衔并成功卫冕该头衔19次！

结论
谜！

自由滑雪又叫"热狗"

20世纪60年代，一些滑雪者认为高山滑雪的规则太过严苛，所以他们开始改写规则，在这项运动中加入跳跃、翻身和转体等动作。这项被称为"热狗"的疯狂运动，迅速掀起一股炫酷新风尚。

展开说说

早在20世纪20年代，人们就已经开始尝试更先锋的滑雪技术，但直到20世纪60年代，"热狗"才真正席卷了滑雪界。热狗这种食物于19世纪90年代开始在美国流行，但怎么也想象不到它和滑雪有什么联系……也许是因为它的吃法，与正餐相比更轻松？

自由滑雪的分类

如今的奥运会自由滑雪共包含13项独立赛事。最近新增的是"大跳台"，选手从一个斜坡上滑下，并在落地前高高跃起，在空中完成一系列技术动作。

结论

真

74

遇到坏天气必定会停赛

虽然我们在学校里遇到坏天气就盼着比赛能取消，但实际上并不一定会取消。不论是刮风还是下雨，起雾还是结冰，或者下雪等天气，运动员都要做好继续比赛的准备。

展开说说

史上天气最冷的比赛莫过于1967年美国国家橄榄球联盟的"超级冰碗"。两支橄榄球队——绿湾包装工队和达拉斯牛仔队在零下25摄氏度的冰天雪地里比赛，冷风袭来时，甚至能让温度降至零下44摄氏度。而1975年，一场大雨过后，被大雨淹没的橄榄球赛场上，新西兰全黑队和苏格兰队依然没有停止厮杀。不过，确实有一项比赛会因大雨而终止，那就是板球比赛，始终如一。

结论
假

75

白宫有自己的保龄球场

砰！

是真是假？

你也许会想，美国总统不会有很多时间用来休闲。不过只要他们需要休闲，白宫里各项设备齐全，自然能让总统来放松一下。

展开说说

白宫的保龄球场建于1947年，由美国总统杜鲁门修建。1950年，白宫的工作人员组建了一支保龄球队。后来的总统约翰逊和尼克松都建了新的保龄球道。再往后，克林顿、梅拉尼娅·特朗普在白宫居住时都分别对这座保龄球场进行过翻修。

所有的体育活动都有

白宫不光有保龄球场，还有网球场、泳池，还有一个可以打台球和乒乓球的活动室、一条慢跑跑道和一个小型高尔夫球场。

结论

真

太好玩儿啦!

泼水是水球运动的乐趣所在

观看水球比赛时，似乎大家都在纵情泼水。实际上，故意将水泼溅到对手脸上是一种严重犯规，选手会被处罚离开水池20秒。

展开说说

由于选手在比赛中不允许接触池底，所以四处游动抢球时难免会溅起一些水花。除了不准向对手脸上泼水的规定外，选手还被禁止将球压入水下，也被禁止用双手持球（守门员除外）。

结论
假

77

首个奥运会吉祥物是一只

腊肠犬

是真是假？

德国腊肠犬瓦尔迪是专门为1972年慕尼黑奥运会打造的吉祥物。这是奥运史上首个吉祥物，其设计灵感是在一次圣诞聚会上诞生的。

展开说说

在慕尼黑奥运会组委会的圣诞聚会上，组委会向大家分发了纸、笔和泥塑用的黏土，让参加派对的人用它们设计吉祥物！腊肠犬在德国是很受欢迎的动物，于是瓦尔迪诞生了，它象征着忍耐、坚韧和敏捷。

结论

真

观看网球比赛时要肃静

人人都希望网球比赛中选手发球时人群能保持安静，选手在发球前也往往要等现场安静下来再发球。然而，实际上网球的规则里并没有这一条……

欢呼！

运动现场保持安静可能导致错失胜利的良机！研究表明，观众在比赛现场的欢呼声会影响比赛，给主场队带来优势！

展开说说

有人认为，这样的状况都是历史惹的祸，因为以前的网球比赛，参赛者和观赛者都是上层阶级，他们需要保持得体庄重，压抑情感，谨言慎行。运动员则认为，在顶级网球赛事中，他们要能听出对手的发球方式，而且他们也需要现场保持安静好让自己集中注意力。

结论
假

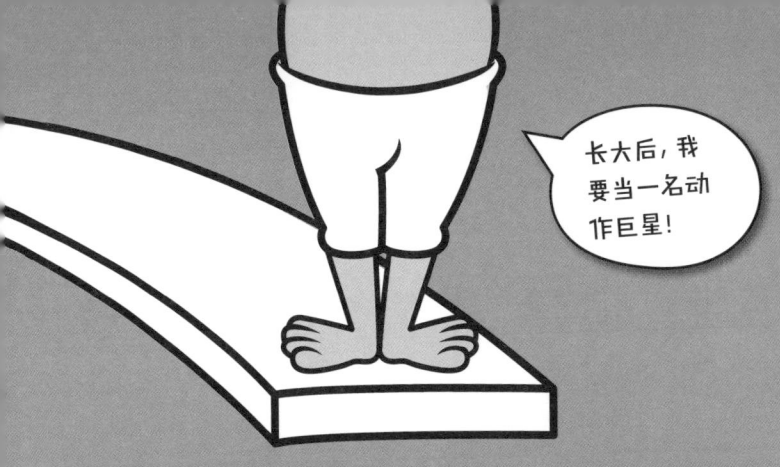

长大后，我要当一名动作巨星！

演员杰森·斯坦森曾是英国国家跳水队的一员

是真是假？

杰森·斯坦森以出演过众多动作英雄而出名，其实他在走上银幕前曾是一名跳水运动员。

跳车

杰森·斯坦森在《敢死队3》拍摄时用上了他的游泳和跳水技能。当时特技出了问题，他正开着一辆卡车，结果刹车失灵，卡车冲进了海里！

展开说说

杰森·斯坦森从小开始练跳水，并进入了英国国家跳水队。他分别参加了1990年的英联邦运动会和1992年的世界跳水锦标赛。后来，他还尝试了做模特，最后才转行成为电影明星。

结论

真

轮椅篮球和篮球
是完全不同的两种运动

轮椅篮球是20世纪40年代发明的，当时发明该运动是为了帮助二战（1939~1945年）中受伤的士兵尽快康复。第一次轮椅篮球赛是在美国6家陆军医院之间进行的。后来，这项运动在全世界流行起来。

为了适应轮椅篮球，篮球中的若干规则已经被调整，不过大部分规则还是和篮球原本的规则相同。记分规则、场地、篮筐和篮球都是一样的。

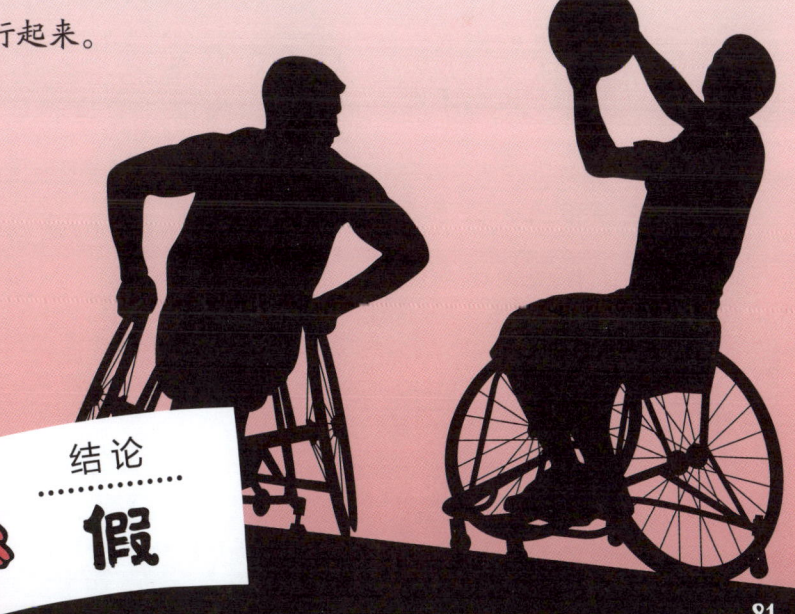

结论
······
假

81

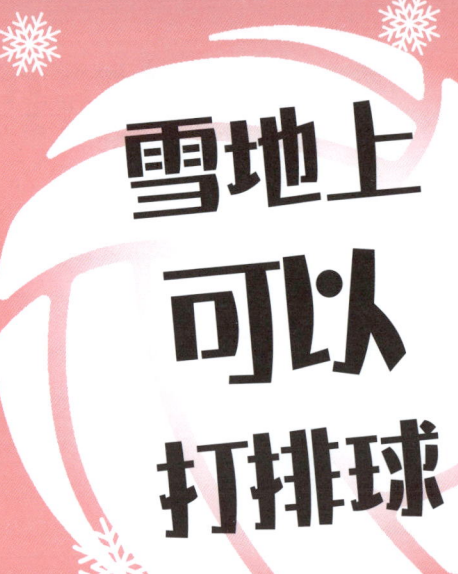

雪地上可以打排球

沙滩排球和室内排球都是排球常见的形式。不过，为了在冬天也不会错过打排球的乐趣，一些新潮前卫的排球爱好者开始在雪地里打起排球来。

展开说说

雪地排球和沙滩排球、室内排球都非常像。对战的双方都是3个人，中间一道高高的网。雪地排球的雪必须压实，且达到30厘米厚。选手会在常规的运动服里穿上保暖的衣服，还要穿足球鞋来防止滑倒。

跳啊！跳啊！

一场比赛下来，一名排球选手平均要跳动300下！

结论

真

滑板运动刚出现时叫"街头冲浪"

展开说说

滑板比赛最早出现在20世纪60年代，不过那时的滑板非常危险，因为轮子是用黏土做的——很容易破损。20世纪70年代，用硬塑料做的轮子被发明出来，街头冲浪迅速变得流行。人们还发明了滑板运动的各种花样，垂直坡道也应运而生。1995年，第一届世界极限运动会举办，滑板运动才正式走进大众的视野。

是真是假？

滑板运动始于20世纪50年代。习惯了在水里乘风破浪的冲浪选手们，将轮子粘在木板底部，开始在大街上"冲浪"。

结论

真

运动员要保持高热量的饮食

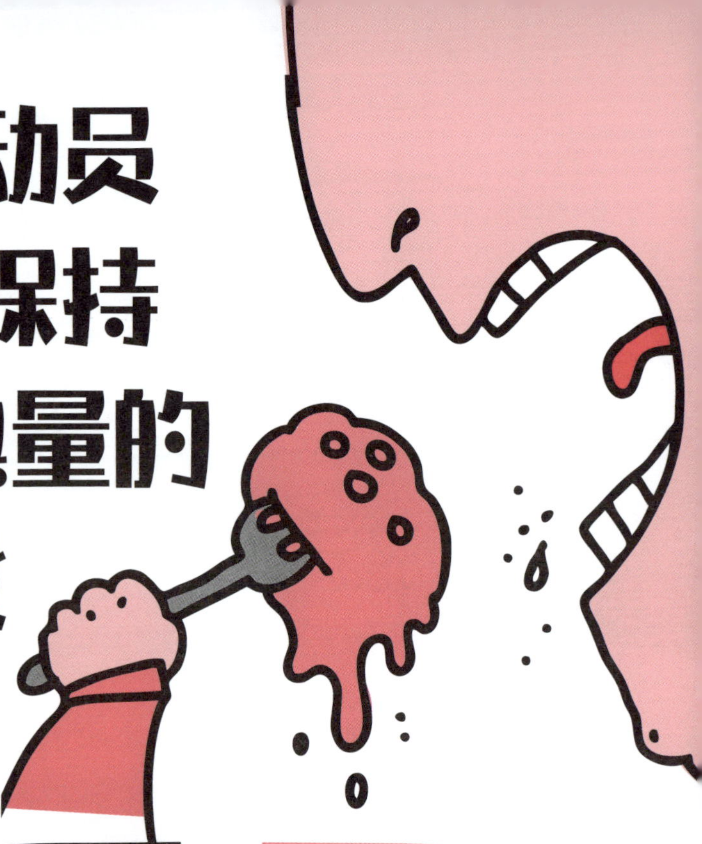

是真是假？

马拉松选手要吃掉大量的意大利面；拳击手疯狂吃鸡蛋；橄榄球选手不挑食，什么都吃——这些都是人们的误解。

结论

假

展开说说

实际上，每名运动员根据自身的日常训练强度，形成了自己的需求和食谱。平均而言，男运动员每日需要摄入大约2 500卡路里，女运动员需要2 000卡路里。为大型赛事进行训练的运动员，需要摄入的热量大约是上述热量的两到三倍。具体吃多少，取决于选手的体质以及所参加的项目。

"雪上冲浪"是一项备受欢迎的冬季运动

是真是假？

和"冲友"一起走上坡顶，然后迅速滑下来。一般认为，舍曼·波潘1965年发明了雪上冲浪运动，他的妻子将其命名为"雪上冲浪"。

此山是我开！

单板滑雪刚流行起来的时候，传统的滑雪者不想让这些新来的不速之客占领"他们的"山头，所以单板滑雪者总是被赶走！

展开说说

舍曼·波潘随后推出了一款滑板产品——一块平直的板子，板子前端微微翘起。前端还有一根绳子，便于运动员控制雪板。随着这项运动越来越火，波潘最初的设计也被做了一些调整，成为我们今天所熟知的单板滑雪！

结论

真

大学生抛馅饼盘子玩发明出了飞盘

看招!

是真是假?

发明飞盘的人叫弗雷德·莫里森，他最初用爆米花盒子上的盖子来回抛掷，后来又用一个糕点烤盘来"飞"。他的妻子也喜欢这项休闲活动，很快，他们就做了一个橡胶的盘子形玩具抛着玩。

这个名字我不认!

飞盘的发明者弗雷德·莫里森讨厌"福瑞斯比"这个名字，因为这个名字一听就"飞"不起来!

展开说说

弗雷德给这个玩具起了好几个名字：飞行糕点盘、旋风盘、飞碟、冥王星之盘。不过没有一个被沿用。他把这个玩具卖给了当时的一家玩具公司。这家公司给它取名为"福瑞斯比"[1]，该名称来源于福瑞斯比馅饼店，因为这家馅饼店里的人也喜欢把烤盘抛来抛去!

1即飞盘现在的英文名"Frisbee"的音译。——译者注

结论

假

美国海军曾试图用飞盘发射照明弹

1972年的一份报纸上把这个项目描述为"飞盘之耻"。1968年,美国海军斥资37.5万美元,进行了一项飞盘照明弹发射的实验,但遗憾的是,实验以失败告终!

展开说说

飞盘发射出去后可以在空中"飞"很久。美国海军希望能用飞盘来代替当时他们所使用的降落伞技术,好让照明弹能在空中停留得久一些。然而,照明弹一旦固定到飞盘上,增加的重量便使发射出去的飞盘很快就掉在地上。

结论

真

人类骑在海豚背上才学会了冲浪

20世纪初，报道中第一次出现关于"冲浪"这项刺激的运动。20世纪60年代，它迅速流行起来。不过若论冲浪的起源，则要早得多，可以追溯至古代太平洋波利尼西亚群岛，那时岛上的居民就已经站在木板上（而非骑海豚）冲浪了。

展开说说

18世纪初，欧洲探险家率先描述了看到波利尼西亚和夏威夷岛居民乘风破浪的场景。然而，随着越来越多的游客来到岛上，古板的传教士们不赞成这项运动，并叫停了它。

一篇记录冲浪的日记

1778年，英国的库克船长率领船队抵达夏威夷，成为欧洲历史上第一批登岛的人。他们目睹了当地岛民冲浪的过程。其中一位船员在日记中写道："这个人乘着海浪前行，如此快速、如此顺畅，体验着极致的乐趣。"

结论

假

别担心，我会很温柔的……

柔道就是 "柔和的 法则"

柔道是一种用来防身的武术，同时也是一种生活方式。它涉及身体、智力、精神三个方面。"柔"意为"柔和"，"道"意为"方式"或"法则"。

结论

真

展丌说说

1882年，柔道之父嘉纳治五郎在日本柔术的基础上发明了柔道。后来，柔道广为流传，并于1964年成为奥运会项目。柔道包括三大动作技巧：投技（投掷）、固技（控制）、当身技（踢），其中当身技由于危险性极大，容易对选手造成伤害，因此在比赛中被禁止使用。

89

词汇表

（棒球）捕手： 位于击球手后面的球员，如果击球手没有击中，则由接手来接球。

（棒球）投手： 将球抛向击球手的队员。

包裹： 用一层紧致的外层包围或覆盖。

被接杀出局： 击球员击出的球被防守队队员接住。

被守桩员砸桩出局： 击球员越过击球位置时，球被对方守桩员接住并用球将桩门击倒。

被砸桩出局： 投球员击中桩门。

冰壶： 一项体育运动，运动员在冰面上将重重的石制冰壶溜向终点，即称为"营垒圆心"的得分区域。

波利尼西亚： 太平洋中心的一片区域，包括夏威夷岛、马克萨斯群岛、萨摩亚、库克群岛和法属波利尼西亚。

波斯人： 指居住在古代波斯的人，波斯古国位于亚州西南部，其中心地带于1935年更名为伊朗。

肠： 与胃相连的长管状器官，食物经肠胃消化后，残渣排出体外。

超重量级： 拳击比赛中的一个重量级，在"重量级"之上；拳击比赛或其他格斗运动中会划分重量级，为了保证比赛公平，选手须与同等重量级的对手角逐。

触身出局： 球在碰到桩子之前碰到击球员的腿。

传教士：指四处传播宗教思想和信仰的人。

得体庄重：表现得有教养、有礼貌、合时宜。

骨灰瓮：用来装骨灰的罐子或瓶子。

规范化：为某事制定标准化措施或划定标准范围，其他人必须遵守。

国际泳联（FINA）：国际组织管理机构，负责游泳、水球、跳水、花样游泳、公开水域游泳及高台跳水等水上运动赛事，总部位于瑞士洛桑。

国际足球联合会（FIFA）：国际足球赛事组织管理机构，总部位于瑞士苏黎世。

聚酯纤维：一种用于制作纤维的塑料。

可持续发展：为了避免毁坏或用尽地球上的自然资源而在日常生活中践行一些环保行为。

硫化：让橡胶变硬的过程。

美国职业篮球联盟（NBA）：美国职业篮球联盟。

耐力：能长久地坚持。

跑动中被砸桩出局：击球员跑动得分时未能归位导致桩门被防守队击倒。

骑手：受训骑着马打仗或履行职责的士兵。

任意球（足球）：足球比赛中，一方犯规，对方会获得一次任意球机会。任意球有间接和直接之分。间接任意球在进球前球必须接触另一名球员；直接任意球可以直接射门得分，无需先接触其他球员。

淘汰：从竞赛中被淘汰出局。

铁人三项：一项分为三部分的赛事，通常包括游泳、赛跑和自行车。

退役：不再参加体育赛事。

校队：代表一所学校或大学参赛的首选体育代表队，也称"一队"，再往下是二队。

炎症反应：因外伤导致的身体部位红肿、发热、酸痛等。

优势：拥有比别人更好的机会。

暂停：指体育比赛中短暂的比赛中止，这时队员和教练团队能说话、交流。